달을 바라보며 너를 그린다

달을 바라보며 너를 그린다

three3

프롤로그

사랑할 줄 모르는 아이

스무 살이었다. '내가 한 행동이 상대에게 어떻게 보였을까?' 사서 걱정하며 거짓말을 한 아이처럼 불안하던 때였다. '장난으로 내뱉은 말이었는데 상처받았으면 어떡하지?' 마음 졸이는 게 버릇이었다. 좋아한다고 말하면 약자가 될까봐, 싫어하는 내색을 표하면 상대가 상처받을까봐 속을 태웠다. 스무 살은 자신보다 상대방을 보호하기에 바빴다.

스무 살에게는 특별한 이유가 있었다. 그렇게 하면 좋아하는 사람에게 상처 주는 일은 없을 줄 알았다. 그것이 우리의 관계도 끈끈하게 만들어 줄 거라 믿었다. 스무 살이 하는 배려는 사람들의 오해를 불러일으키기에 충분했지만, 스스로 깨닫는 데까지 오랜 시간이 걸렸다.

지인에게 좋은 일이 생기거나 평소와 달라 보이는 날이면 상황이 여의찮아도 함께 해주었는데, 힘에 부치는 적도 많았지만, 좋아하는 사람에게 도움을 줄 수 있어서 너무 행복했다. 하지만 나에게는 이상한 콤플렉스가 있었다. 위로를 통해 알게 된 상황을 그대로 흡수하면서 나도 그 상황에 놓인 것처럼 힘들어했다. 더 나아가 내가 옆에 있어 줘야 할 것 같고, 상대에게 도움이 되는 존재가 되어야 한다는 압박감에 사로잡혔다. 사랑하는 방법이 잘못되었다는 것을 알았음에도 다른 방법을 찾지 못하고 같은 실수를 반복했다.

반대로 챙김을 받아야 할 때면 극구 사양했다. 상대가 나로 인해 안 좋은 감정을 겪는 것이 싫었고, 소중한 시간을 빼앗는 것만 같았다. 상대는 "네가 슬퍼서 나도 힘들어"라든가, "너를 만날 시간이 없어"라든가, "그런 고민을 들어주는 시간이 아까워"라는 말을 단 한 번도 한 적이 없었다. 내가 느꼈던 감정과 겪었던 상황만 가지고 와서 상대에게 피해를 주는 행동이라고 생각했다.

내가 위로를 해주었던 이유와 내키지 않은 상황에서도 함께한 이유에는 집중하지 않았다. 상대방이 나에게 피해를 주고 있다는 생각을 해 본 적도 없었다. 그저 내가 겪은 감정 중 안 좋은 부분만 상대가 똑같이 느낄 거라고 착각했다. 내가 특이하거나 상대는 나와 같은 경험을 이미 겪어봐서 필터를 장착한 사람이었을지도 모른다. 뭐가 되었든 스무 살은 자기 생각과 행동을 일반화하는 것이 문제였다.

한 번은 모른 척 지나간 적도 있었고, 방관자가 되어본 적도 있었다. 그렇게 하면 감정 낭비를 하지 않아도 되고, 해준 만큼 바라는 마음도 생기지 않을 거 같았다. 하지만 이것도 정답은 아니었다. 못난 사람이 된 것만 같은 기분에 자존감만 더 떨어졌다.

문제가 여기서 끝났다면 그나마 다행이었을지도 모른다. 본인이 거절한 호의면서 나에게 진정한 친구는 없다고 느꼈다. 힘듦을 덜어내지 못하고 극한으로 쌓일 때면 한 번씩 터질 때도 있었다. 나의 달라진 행동과 예민한 말투를 보며 친구가 걱정해 주었지만, 나는 여전히 나의 아픔을 나누어 주기 싫었고, 결국 친구를 오해하게 했다. 당시 나에게는 오해한 친구를 풀어줄 여력은 없었다. 그렇게 스스로 외로움을 몸에 두르며 갑작스레 관계를 끊어버리는 일이 부지기수였다.

나라도 마음을 안아줬어야 했는데, 나조차 나를 외면하며 고독하게 만들었다. 나는 주는 사랑의 행복만 알았지, 받는 사랑의 기쁨은 알지 못했다. 일찍 깨달았으면 좋았을 텐데, 나는 서른이 된 지금에서야 깨우친다. 지금은 내가 가장 사랑해야 하는 존재는 자신이고, 내가 먼저 나다움을 인정해야 한다는 것을 안다.

지금은 불합리한 일을 겪어도 바쁜 일상에 치여 금방 기억에서 잊히고, 나를 향한 어떤 화살도 세월과 함께 두꺼워지는 맷집을 뚫지는 못한다. 하지만 모든 게 처음이었던 스무 살에는 배려한다고 했던 것

들이 오해되어 터질 때마다 왜 그렇게 억울하고 서러웠는지 모른다. 그중 스무 살의 연애는 억울함과 서러움이 얼마나 가슴 깊숙이 사무쳤는지, 10년이 지난 지금에도 내 일상을 흔들고 있었다.

언젠가는 이 아픔을 마무리할 수 있을 때가 올 거라고 생각했다. 어디에나 끝은 존재했지만, 시간이 해결해 줄 수 있는 부분은 내가 그것을 놓을 수 있을 때 가능했다. 나는 과거를 놓지 못하고 시간만 흐르기를 바랐다. 언제나 그 시절 괴로운 기억들이 내 안에 가득 차 있어서 행복한 추억을 저장해 둘 공간이 부족했다. 그래서 늘 행복한 일에 즐거워하다 가도 옛 기억이 떠올라 울적했다.

주변에 도움을 주는 사람과 함께한 추억이 많음에도 과거 때문에 아픈 사람이라고 착각을 해왔다. 지금의 행복을 제대로 맛보지 못하고, 미소에 무게가 없어지는 일이었다. 글을 쓰면서 기억을 하나씩 꺼내어 볼 때마다 우울한 감정이 올라오기도 하고, 그 시절의 나를 마주하며 많이 울기도 했다. 힘들어서 포기하고 싶은 마음도 굴뚝 같았지만, 다시는 나를 두고 도망가지 않겠다고 다짐하고 다짐했다.

처음이라 서툴렀음에도 끝까지 따뜻한 미소로 지도해주시고, 포기하고 싶은 마음이 들 때마다 좋은 글로 다독여주신 김유진 선생님, 실력이 부족해서 도움이 되지 못하는 저에게 좋은 말씀으로 응원해 주신 강정미, 김지수, 이철재, 이혜원, 임주현 선생님들께도 감사의 인사를 전하고 싶다.

또, 언제나 용기와 힘을 주는 친구들, 주는 사랑의 기쁨을 알게 해 준 가족들 그리고 매일 글 쓰는 시간 기다려주며 힘든 시간을 함께해 준 남자친구에게도 고맙고 사랑한다고 말해주고 싶다.

마지막으로 나와 같은 인생의 스무 살을 겪고 있는 친구들이 우연히 이 책을 보게 된다면, 스무 살이 남보다 많이 초라해 보여도 그것 또한 너무 소중하고 아름다운 시간이었다는 것을 느끼게 해주고 싶다. 당신만의 특별한 이유를 응원하고, 불완전한 시간을 이겨낸 뒤 성장한 모습을 바라보는 기분은 어느 무엇보다 짜릿한 경험이 될 거라고 말해주고 싶다.

서른이 스물에게
three3

차 례

프롤로그 4

1장
달이 떠오르지 않은 밤

다시 찾아올 맑음을 기다리면서 18
초라한 달 그림자 하나 22
그럴듯하게 부는 바람 27
닿을 수 없는 거리 32

2장
달이 지기를 바라는 새벽

길었던 밤의 이유 42
새벽을 깨우는 알람 47
그냥 지나치는 게 나았을지도 52
끝은 어디에나 있으니까 57

3장
오랜 밤 달이 향한 곳

처음 달을 마주한 날 68
만인의 달이었음을 73
이 길이 달에게 돌아가는 길이었으면 78
가시로 뒤엉켜버린 달 83

4장
달을 따라 걷는 길

빛을 흐리는 소나기 92
끝이 없는 감정선 사이 97
달이 차오르던 계단 102
아침을 맞이할 준비 107

에필로그 112

1장

달이 떠오르지 않은 밤

나는 늘 그랬다.

다른 사람들의 아픔을 내 것처럼 느꼈다.

좋지 않은 감정에 무너질 수 있다는 걸 알면서도

물들지 않아도 될 감정을 끌어안고서

스스로 괴롭히고 있었다.

#REF!
0
C
÷
7
8
9
x
4
5
6
-
1
2
3
+

모두 내 것인 마냥 끌어안는 건

독을 삼키는 것과 같았다.

그렇다고 나를 부정하고 싶지 않았다.

어떤 게 내 것인지 구분하여

감정과 현실을 조화시킬 수 있는 방법을 찾아야 했다.

다시 찾아올 맑음을 기다리면서

5시. 알람이 울릴 시간보다 1시간이나 이른 시간이었다. 머릿속을 헤집어 다니는 남자친구 때문에 쉽게 잠을 이루기가 어려웠다. 결국 새벽 3시가 되어서야 잠에 들었는데, 2시간밖에 못 잤던 터라 눈 밑에는 평소보다 진한 그림자가 드리워 있었다. 생각만 해도 가슴 뛰는 시간이 영원할 줄 알았다.

고등학교 다닐 때는 정해진 틀에 맞추어 생활하던 패턴이 시시했는데, 스무 살은 내 세상을 스스로 꾸밀 수 있는 나이였다. 그는 나의 세상에 처음으로 발을 들인 사람이자, 푸른 하늘에 하얗게 핀 구름이 반짝이는 날씨처럼 나에게 맑음을 선사한 사람이기도 했다.

그를 맞이한 하늘은 너무나 온화했기에 변덕을 부릴 수 있는 날씨가 아니었다. 하지만 평소와 다르게 금방 색과 빛을 잃어가는 하늘을 보고 눈을 의심했다. 금방 저물기에는 너무 예쁜 하늘이라, 소나기로 단정 짓고 싶었다.

우리를 비추었던 빛도 영원히 맑을 줄만 알았다. 금방 지나갈 소나기라 시간이 지나면 빛을 가린 먹구름도 자연스레 갠다고 믿었다. 멋모르던 스무 살의 나는 기다린다고 그칠 비가 아니란 것도 모르고 하염없이 기다렸다. 감기에 걸리는 줄도 모르고.

비에 맞은 날이면
젖은 채로 잠자리에 들어야 했다.
떨어지는 체온을 온몸으로 느끼고서야
아픈 꿈을 꾸지 않을 수 있었다.

오늘의 날씨
10:00

우울의 발목을 잡고 있었다.

우울은 내 푸름이었다.

우울을 보내기까지 오랜 시간이 걸렸다.

함께한 시간도 내 푸름이었다.

초라한 달 그림자 하나

12월이 되니 사람들은 크리스마스를 맞이할 준비를 했지만, 나는 이별을 준비하고 있었다. 이번 크리스마스에는 꼭 그에게 이별을 말해야 했다. 마지막으로 그에게 물어보고 싶은 말이 있어 매일 밤 통화 목록을 뒤적거리기도 했지만, 목소리를 들으면 마음이 약해질 게 뻔해서 실행에 옮기진 않았다. 나를 되찾기 위해서는 관계를 빨리 끝내는 게 우선이었다.

그러고 보니 그와는 단 한 번도 크리스마스를 함께 보낸 적이 없었다. 첫 번째 크리스마스에는 고향에 내려가 있는 그를 생각하며 일기를 쓰고 있었고, 두 번째 크리스마스에는 군대에 있는 그를 기다리며 편지를 쓰고 있었다. 신기하게도 마지막 크리스마스에도 혼자 보낼 예정이었다. 우리는 크리스마스와는 인연이 없었다. 그가 있는 크리스마스는 어떤 기분일까?

이별을 말하기는 쉬웠지만, 당장 헤어질 수 없는 사이였다. 섣부른 이별은 과거와 같은 재회를 반복할 뿐이라는 것을, 과거를 통해 뼈저리게 느끼고 있었다. 우리 사이에 마침표가 찍히려면 준비할 시간이 주어져야 했다. 더 이상의 재회는 서로에게 의미 없었다. 각자를 위해서 우리는 남이 되어야 했고, 마음의 준비가 필요했다. 그 기간에는 서로에게 감정을 드러내서는 안됐다. 미안함도, 속상함도 마음속으로 삭혀야 했다.

집으로 가는 길은 얼려 둔 다짐을 녹이기 딱 좋은 장소였다. 그와 함께 만든 추억이 거리에 가득해, 생각하지 않으려 해도 좋았던 추억이 새록새록 떠올랐다. 나는 그저 눈물만 참아보자는 생각에 땅만 보고 걸을 수밖에 없었다. 그가 자주 입던 저지를 나에게 걸쳐주며 삼겹살에 소주잔을 부딪친 술집, 속상한 마음에 괜히 심술부리던 카페, 새벽까지 술 마시다 해장하면서 숟가락을 머리에 대고 졸았던 국밥집. 외로웠던 연애라 생각했는데, 마냥 초라하지만은 않았나 보다.

그림자 하나가 따라왔다.

깊은 어둠을 품고 있는 것이

왠지 초라하기까지 했다.

세상이 등진 것만 같던 날들이

세상에 없는 빛을 만들기 위해 존재한 시간이었다.

어둠이 깊을수록 빛은 더 반짝였다.

그럴듯하게 부는 바람

마음의 준비를 한 이별은 이전과 다른 전개로 흘러갔다. 전화번호를 차단한 후에는 한 번도 그의 프로필 사진을 훔쳐보지 않았고, 만 장이 넘는 사진을 삭제해도 아쉬운 마음이 들지 않았다. 불안정한 마음을 술에 의지했던 예전과는 달리 담담하게 일상을 살아갔다. 이번에는 정말 마지막이 될 수 있다는 희망에 더 꿋꿋하게 마음을 다잡아갔다.

주위 사람들이 보기에 이별을 씩씩하게 맞이한 것 같지만, 사실 괜찮지 않았다. 내 마음은 여전히 그때 그곳에 머물러 있었다. 함께한 추억이 묻은 곳을 지날 때면 함께 서있었던 우리가 자연스레 그려졌다. 그는 일상에 바람처럼 스며들어 왔다가 마음만 들쑤시고 사라지기 일쑤였다. 그와 전혀 관련 없는 사람과 대화할 때도 그의 얼굴이 그려졌고, 수업하는 중에도, 영화를 보면서도 우리의 상황을 대입했다. 그럴 때마다 내 마음은 돌을 얹은 듯 무거워지고, 입꼬리는 제자리를 찾아갔다.

그가 나의 일상에서 보이지 않기까지는 오랜 시간이 걸렸다. 다른 사람과 사랑을 하는 중에도 과거를 떠올렸다. 그럴 때마다 나는 그를 못 잊었다고 생각했다. 그러다 어느 날 우연한 계기로 나를 되돌아보게 되었을 때, 나는 그가 아닌 그때 그곳에 두고 온 나를 잊지 못하고 있었다는 것을 깨닫게 되었다.

그러고 보면 마지막 이별이 아니었을 때도 계속해서 나를 보고 있었는지 모른다. 헤어져야 한다는 걸 알면서도 무의식적으로 회상되는 추억에 나도 모르게 당연히 그를 사랑하고 있다고 생각했다. 나는 그때도 스무 살을 마주 보는 일이 두려웠다.

보이지 않는 눈앞에 주저앉아보니 어둠에 익숙해지더라.

어둠이 삼킨 세상에 눈 감은 채로 지내다 보니 일상이 되었다.

그저 빛을 잃은 세상인 줄 알았는데 내가 어둠을 삼킨 날이었다.

그것도 모르고 달이 뜨기만 기다렸다.

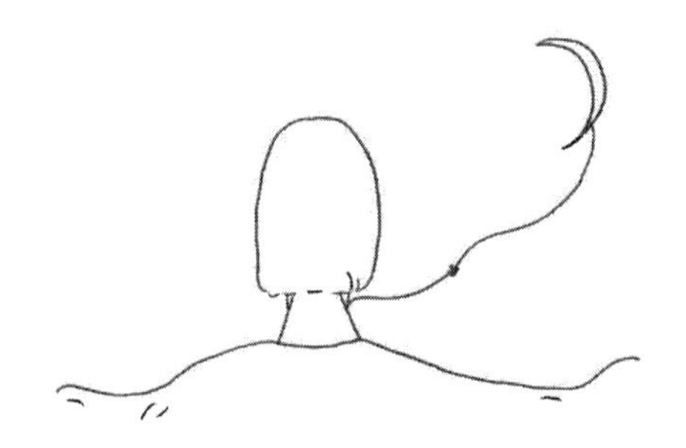

아침이 되려면 가장 어두운 시간을 보내야 했다.

잠깐 달이 지는 시간을

밝음 속에 있어서는 안 될 어둠이라 착각했던 것 같다.

닿을 수 없는 거리

스무 살의 연애가 이렇게 고독할 줄 몰랐다. 자신을 망가뜨리는 연애를 하고 있다는 걸 알면서도 커져 버린 정 때문에 놓지 못했다. 그를 밀어내면서도 눈물을 흘리며 미안하다는 말을 반복하는 그가 안쓰러웠다. 정작 불쌍한 사람은 나였는데 말이다.

나는 눈물이 많은 사람이었다. 노래를 들을 때는 멜로디보다 가사가 마음에 들어야 했고, 눈물을 흘릴 수 있는 슬픈 결말의 드라마만 찾아보았다. 다른 이들의 사연에는 내 일처럼 눈물을 흘렸다. 눈물을 흘리면 잠시나마 무거웠던 마음의 무게가 줄어들었다. 하지만 사람들이 보기에는 나는 쓸데없이 눈물 흘리는 사람이었다. 나를 오랫동안 괴롭힌 말이기도 했다.

나는 다른 사람보다 감정을 더 예민하게 받아들였다. 사람들의 마음을 쉽게 공감할 수 있었고, 지금처럼 감정을 글로 쓸 수 있었지만, 늘 너무 과한 게 문제였다. 평소의 나는 상대가 주는 아픔을 속에 쌓아 두는 성격이었지만, 쌓아 둘 공간이 부족할 때면 한 번씩 크게 터졌다. 말할 때는 속마음을 잘 표현하지 못하고, 잘못을 이야기해야 할 때도 상대의 자존심은 건드리지 않기 위해서 둘러서 말했다. 상대는 웃으며 잘 넘어가다가 갑자기 돌변하여 알 수 없는 말을 하는 나를 보며 이해하지 못했다. 그때는 그저 쌓아 둔 것들을 눈물로 쏟아내는 게 전부였다.

내가 눈물을 진심으로 대한 것처럼 그의 눈물과 사과도 진심이라 생각했다. 지금 당장은 아니더라도 용서해 주면 바뀔 줄 알았다. 하지만 그는 나의 약점을 이용할 줄 아는 사람이었다. 더 치밀하게 숨기기에 바쁜 그를 보며 드는 배신감은 이루 말할 수가 없었다.

사랑받고 싶은 사람이었다가도

어쩔 땐 모든 게 실증이 나 훌쩍 떠나버리고 싶었다.

씻을 수 없는 마음을 새로 사고 싶었지만

알량한 자존심이 허락하지 못했다.

세상 속 나만 그 시절에 머물러 있는 미련한 사람이었다.

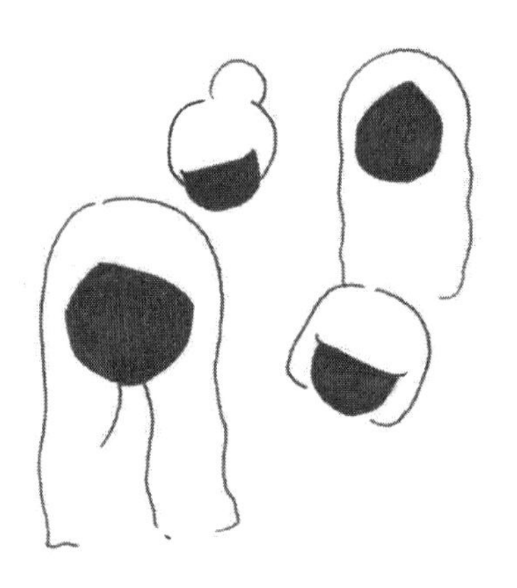

마음속으로는 싫다고 말하면서 눈으로는 웃고 있었다.

"내가 정말 원하는 건 뭘까?"

내가 진짜 원하는 것이 무엇인지

나에게 먼저 분명하게 물어봐야 했다.

나조차 내가 원하는 게 무엇인지 몰랐기에

남에게 자신을 드러내지 못했던 게 당연했다.

2장

달이 지기를 바라는 새벽

사람이 떠나가는 일은 언제나 마음이 좋지 않았다.

가령 나에게 해코지 한 사람이더라도 빈자리가 생길 때마다 슬펐다.

가치관이 달라도 맞춰주면 좋은 인연이 될 줄 알았다.

진심이 언젠가는 닿기를 바라며 기다리는 일도 좋았다.

그런데 억지로 이어 붙인 관계는 오래가지 못했다.

떠나간 사람의 자리를 새로운 사람으로 채우지 못하고,

내 진심이 언젠가 그 사람에게 닿기를 바랐다.

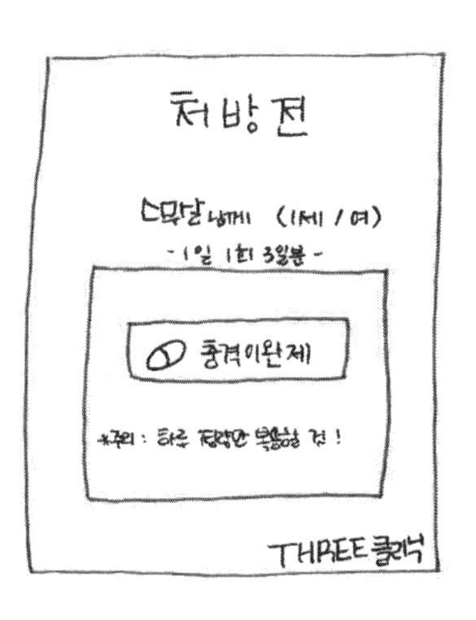
처방전
-1일 1회 3일분-
충격이완제
*주의 : 하루 정량만 복용할 것 !
THREE 클리닉

살아가면서 만나는 모든 관계를 끌어가는 사람은 드물었다. 자신의 인간관계를 잘 조율할 줄 아는 사람이 잘 사는 사람이겠지만, 현실적으로 어린 나이에는 어려운 일이라 일찍이 욕심낼 필요가 없었다. 다만, 떠나는 사람의 자리를 좋은 인연으로 채울 수 있는 행운은 놓치지 말았으면 좋겠다.

길었던 밤의 이유

그는 거짓말을 못 하는 사람이었다. 그가 했던 많은 거짓말 중에 들통나지 않은 게 있을까? 그는 거짓말을 못하는 사람이 맞았다. 수많은 거짓말 속에 둘러싸이다 보니 그의 입에서 나오는 모든 말을 믿을 수 없게 되었다. 나는 의심하는 사람이 되었다.

탄로 난 거짓말을 세어도 열 손가락이 부족한데, 내가 모르는 거짓말은 얼마나 많을까? 그는 알까? 거짓말을 모른 척 넘어가 준 적도 많다는걸. 더 이상 사과가 통하지 않자, 그는 눈에 진심을 담고서 찾아왔고, 나는 그의 눈동자도 믿을 수 없게 되었다. 의심에는 끝이 없었고, 의심할수록 수위만 더해졌다. 나는 집착하는 사람이 되었다.

시도 때도 없이 의심하고 집착하는 내가 너무 싫었다. 한 번 돌아간 의심의 굴레는 멈추지 않았다. 시간이 점차 지나자 들통나는 거짓말 횟수가 줄어들기 시작했다. 하지만 이미 내 마음은 불신으로 가득 차 버려서 예전의 나로 돌아갈 수 없었다. 과거의 잘못은 마지막까지 싸움의 이유가 되었다. 싸움의 중심에 내가 있는 것 같아서 더 환멸을 느꼈다. 자책도 많이 하고, 마음을 다잡아도 나아지는 건 없었다. 거짓말 한 번이면 다시 원점이 되었으니 말이다.

모두 나를 위해서 한 거짓말이었다고 말하는 그. 거짓말을 하는 이유가 나에게 있었다. 내가 알게 되면 싫어할 것 같아서 거짓말했다고 한다. 그는 자신이 한 거짓말을 덮고자 나를 이용했다. 처음 그 말을 들었을 때는 혼란스러웠지만, 내가 그에게 나쁜 짓을 한 것 같아서 미안한 마음이 더 컸다. 실제로 나는 먼저 하지 말라고 한 적이 없었는데, 이상하게 깨닫는 데까지 오랜 시간이 걸렸다.

스무 살에게 말했다.

언젠가 마주할 용기가 생기는 날이 온다면,

그 때는 최선을 다해 사랑해주겠다고.

나는 스무 살을 가장 아프게 했던 사람이었다.

스무 살을 다시 만나고서야 알았다.
마주하는 고통에 포기하고 싶은 적이 많았지만,
나는 늘 나만의 방법으로 다가가고 있었다.
나는 결코 스무 살을 버린 적이 없었다.

새벽을 깨우는 알람

하루도 빠짐없이 몇 달을 같은 꿈만 꾼 적이 있었다. 꿈에서 눈을 떴을 때, 새하얀 배경이 가장 먼저 눈에 띄었고, 이어서 나를 바라보고 있는 그가 보였다. 사진을 모두 삭제해서 다신 볼 수 없을 줄 알았는데, 처음 그가 꿈에 나왔을 때는 나도 그와 같이 바라보기만 했었다.

사실 꿈에서 처음 그를 보았을 때 달려가 품에 안기고 싶었다. 하지만 꿈이라도 그에게 나약한 모습을 보여주고 싶지 않았다. 내 마음을 보여준다면 현실에서는 무너질 것만 같았다. 꿈에서도 마음을 꾹 누르며 그가 눈앞에서 사라지기만을 기다렸다. 그는 새벽 5시가 되면 나에게서 멀어져 갔다. 나는 1시간이나 남은 알람 시계를 보며 날마다 울었고, 자리에서도 쉽사리 일어나지 못했다. 꿈에서의 여운이 내 발목을 잡은 것만 같이 무겁게 느껴진 새벽이었다.

하루도 빠짐없이 같은 꿈을 꾸는 바람에 매일 1시간씩 일찍 깼다. 한 번은 꿈에 나타난 그에게 억눌러온 설움을 터뜨린 적이 있었다. 그는 나를 안으며 달래 주었는데, 등을 쓰다듬는 익숙한 손길에 그만 눈물까지 쏟고 말았다. 내가 왜 그 꿈을 매일 꾸게 되었는지 글을 쓰면서 알게 되었는데, 내가 연애를 하면서 그에게 가장 받고 싶었던 건 위로였다.

꿈에서 설움을 다 해소해서 그런지 그날 아침은 이전과 다르게 개운했다. 전에는 현실에서 참았던 눈물을 꿈에서까지 참으려니 일어난 새벽이 힘들었나 보다. 발목을 붙잡는 여운도 느끼지 않았고, 눈물도 더는 흘릴 필요가 없었다.

다시는 못 볼 줄 알았는데
여전히 따스한 눈빛이었다.
꿈인 줄 알면서도.

익숙한 손길에
서러움을 흘렸다.
꿈에서라도.

방해금지모드 on

수면모드 on

새로운 집중모드…

따스함을 품은 눈빛과 따뜻함이 전해지는 손길에도 거짓은 있었다. 그는 진심을 이용하는 사람도 있다는 것을 상기시켜 주었다. 이제는 남이 자신을 방어하기 위해 던지는 말 따위에 사과하지 않기로 했다.

그냥 지나치는 게 나았을지도

그에게 여자친구가 생겼다. 친구가 그의 SNS 사진을 전달해 주어 알게 되었다. 헤어진 후 그와의 모든 추억을 지웠었는데, 연락처, 카톡, 사진 그리고 주고받았던 편지까지도 버렸다. 전에는 헤어진 후에도 재회를 당연하게 여겨서 헤어지고도 지울 수 없었다. 하지만 이번에는 달랐다. 정말 끝이었다.

그는 집에서 여자와 함께 찍은 사진을 SNS로 게시했다. 나는 무너지지 않으려 노력한 모든 순간이 무색하게 단 한 장의 사진으로 주저앉아버렸다. 엇갈렸지만 함께한 3년 동안 같이 고생하며 버텨왔다고 생각했는데, 바로 환승한 그를 보고 3년이라는 시간이 헛되었다는 생각에 슬펐던 것 같다. 나는 얼마나 더 부서지고 무너져야 그의 그림자에서 벗어날 수 있을까.

연애하면서도 그에게 나는 어떤 존재인지 궁금했다. 반복되는 실수를 하면서도 나에게 말로만 사과하는 그의 진심을 의심하곤 했다. 애써 부정하면서 지내왔는데, 이후로 나는 아픈 마음을 더 이상 돌보지 않게 되었다. 그 어떤 기억보다 아파서 마주할 수조차 없었다. 아프면 아픈 대로 내버려두기 시작한 날이었다.

내가 이별 준비를 하고 있었던 것처럼 그도 그랬다. 연락은 예전 같지 않았고, 아르바이트로 힘들어하는 그에게 보러 간다는 나를 만류한 적도 있었다. 오지 않아도 된다는 말에 속상하기도 했지만, 우리는 이별을 앞두고 있었기에 신경 쓰지 않으려 노력했다. 사실 그의 연애를 예상하였다. 그래서 헤어지고서 괜히 다른 사람으로부터 그의 소식을 듣고 무너지게 될까봐. 긴장하고 있었다. 다른 여자를 만나더라도 마음이 완전해질 때까지만 소식이 들리지 않기를 바랐는데. 그가 새로운 사람에게 마음을 주었다는 것보다 3년을 아프게 한 사람이 버텨온 3년을 허무하게 만들어버리고, 그런 사람을 3년이나 사랑했다는 점에서 무너졌던 것 같다.

스무 살로 돌아갈 수 있다면,

나의 세상에 아무도 발 들이지 못하도록 벽을 세워야지.

울고 있는 현실은 이겨내지 못하고,

되돌아갈 수 없는 날들만 부질없이 상상했다.

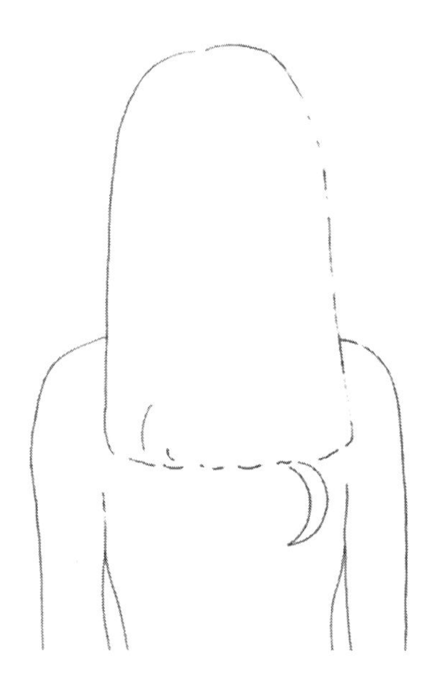

사랑이 두려운 일이 되지 않기를 바라며.

모든 과거에 마침표를 찍기 시작했다

끝은 어디에나 있으니까

스무 살의 첫사랑으로 우울증이 찾아왔다. 새로운 세상으로 향하는 첫걸음이라 생각했던 연애는 깊은 바닷속으로 안내해 주는 나침반이었다. 온몸이 젖어 들 때 고장 난 나침반이라는 걸 알아챘지만, 세차게 덮쳐오는 파도를 감당해 내지 못했다. 물에 빠져도 그저 빛을 따라 헤엄치면 되는 줄 알았는데, 우연히 듣게 된 소식은 희망도 무기력하게 만들었다. 다시는 빛을 보지 않아도 된다고 생각하며 헤엄치기를 포기했던 것 같다.

불안정한 호흡을 가지고 일상을 살았다. 과호흡이었다. 처음에는 우울증 증상 중 하나라고 생각했다. 과호흡이 찾아오는 일상이 반복되면서 공통점 하나를 발견했다. 사람들이 빼곡히 찬 장소, 꽉 막힌 공간에 창문도 모두 닫혀 있을 때, 좁은 공간에서 혼자 있을 때 주로 숨을 내쉬기가 어려웠다. 첫 시작은 배가 아프기 시작했고, 열이 났다. 땀이 흐르다가 몸이 차가워지면서 점차 숨을 내쉬기가 어려웠다.

우울증이 없어지면 같이 사라지는 증상이라 생각하고 내버려두었지만, 우울증과는 조금 달랐다. 우울증은 매일 시도 때도 없이 찾아왔지만, 사람들에게 숨길 수 있었다. 하지만 이것은 언제 어디서 나타날지 모르고, 증상이 겉으로 보였다. 그때 내가 할 수 있는 긴, 사람들이 많은 공간엔 가지 않고, 버스를 타게 되면 창문을 여는 일뿐이었다.

이걸 가족에게 말하기까지도 5년이 걸렸다.

당시에는 병 이름조차 몰랐지만, 그와의 연애를 통해 얻은 병이라는 것은 알았다. 나를 아프게만 한 사람이 뭐라고 병까지 걸린 내가 너무 싫었다. 미련 남은 사람이라 인정하는 꼴이었다. 시간이 지나면 나아질 거라고 했지만, 병은 7년 동안 잊을 만하면 나타나 아팠던 시절을 상기시켜 주었다. 당연했다. 소식 이후로 다친 마음을 치료하지 않았고, 그렇다고 아픈 자신을 한 번도 제대로 돌보지 않았으니 나았을 리가 없었다.

낯선 자극에는 에너지를 쏟아부으면서

나를 위한 곳에는 쓸 필요성을 못 느꼈다.

그저 시간이 해결해 주기를 바라며 밤새 우는 것이 전부였다.

길고 어두운 터널을 걸었다.

끝이 보이지 않는 어둠이 무서웠지만,

들어왔던 길로 돌아갈 순 없었다.

3장

오랜 밤 달이 향한 곳

상처주기 싫어 긍정의 대답을 꺼냈다.

상처받기 싫어 수긍의 눈빛을 보냈다.

나는 주체성 없는 사람이었다.

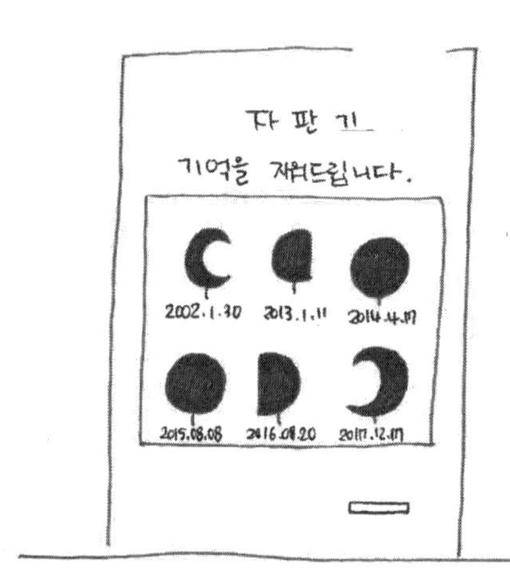
자판기
기억을 재워드립니다.
2002.1.30
2013.1.11
2014.4.17
2015.08.08
2016.08.20
2017.12.17

나조차 나를 무시하면서, 남에게 존중을 구걸했다.

스스로 들이댄 엄격한 잣대를 남이 인정해 주기를 바랐다.

그동안 나는 꾸며진 모습으로 살아가고 있었나 보다.

타인의 삶에 나를 끼워 맞추는 시간이었다.

처음 달을 마주한 날

대학교에 입학하고 열린 첫 행사에서 그를 처음 만났다. 그는 눈웃음이 예쁜 사람이었다. 그가 웃으면 주위가 환하게 밝아지는 느낌을 받았다. 그를 향한 이끌림은 행사 내내 그를 눈으로 쫓게 했다. 스무 살의 짝사랑이었고, 첫사랑이었다.

행사가 끝난 이후에도 그의 눈웃음이 자리를 맴돌게 했다. 몇 날 며칠을 그곳에서 맴돌았는지 모른다. 대학로를 거닐 때마다 나의 눈은 그의 형체를 찾아다녔다. 이러한 노력에도 그를 볼 수 있는 기회는 없어서, 그와 인연이 아니라는 생각에 마음을 접을 수밖에 없었다.

학과 대면식이 학교 앞 포장마차에서 있던 날, 나는 처음 그를 보며 느꼈던 이상한 이끌림을 자리에서 느꼈다. 그도 이곳에서 친구들과 술을 마시고 있을 것 같은 예감에 다시 한번 그의 형체를 찾아다녔고, 신기하게도 내 예상이 맞은 날이었다. 그는 친구들과 테이블에 이제 막 앉아서 안주를 주문하고 있었다. 그를 행사에서 마주친 건 딱 1번이었다. 같은 학교에 다니면서도 한 번도 마주치지 못하는 날들이 떠올라, 오늘이 아니면 다시는 그를 만날 수 없을 것 같아 무작정 일어섰다. 잠깐 스쳐 지나가며 인사했던 사이인데, 나를 못 알아보면 어떡할까 싶어 걱정되기도 했다. 하지만 오늘은 꼭 그에게 나의 존재를 알리고 싶어서 떨리는 마음을 다잡으며 그가 앉아 있는 테이블로 향했던 것 같다.

스쳐 지나간 사이라 초면과 다를 바 없는 내가 다가와 인사를 하자, 그와 친구들이 당황스러운 표정으로 올려다보았다. 하지만 나에게 그런 눈길은 걸림돌이 되지 않았고, 오늘 반드시 그에게 나의 존재를 알리고 싶었다. 친구라도 되고 싶어 최대한 밝게 웃으며 그에게 보고 싶었다고 말해버렸다. 인사만 하고 돌아가려고 했는데, 마음속에서만 외치고 있던 말이 입 밖으로 튀어나와 버린 것이다. 나도 너무 부끄러워 술이 확 깰 정도였다. 나는 그동안 정말 그가 너무 보고 싶었나 보다.

좋아하는 마음을 표현하지 말 걸 그랬다.

나는 책임지지 못할 마음이었다.

이별 후 나는 다치지 않기 위해 마음을 잠그는 것부터 해야 했다.

좋아하는 사람이 생겨도 마음을 숨기고 또 숨겼다.

내가 그에게 마음을 준 것 자체가 나의 잘못이라 생각하며 지내왔다.

하지만 돌이켜보면 세상에 내 뜻대로 되는 건 하나도 없었다.

내가 만나고 싶다고 이루어지는 것도 아니고…

만인의 달이었음을

나에게 친구들이 중요한 만큼 그에게도 친구들은 중요했다. 그가 좋아했던 사람이 같은 학과에 있었던 것도, 그가 전여자친구와 카톡을 주고받는 것도, 친구가 그를 좋아했던 것도 관심이 없었다. 그가 거짓말을 밥 먹듯이 하기 전까지는 그의 사생활은 나에게 아무런 영향을 주지 못했다. 나도 허물없이 지내는 친구들이 있었기에 그도 그런 관계였다.

언제부터인가 그가 거짓말을 하기 시작했다. 아니면 처음부터 거짓말을 계속해 왔었는지 모른다. 그는 담배를 피우던 사람이었는데, 주변에 담배를 피우는 사람이 많았기 때문에 그를 나쁘게 보지 않고 있었다. 평소와 다를 바 없이 그의 담배 냄새로 장난치던 때, 그가 나를 위해 담배를 피우지 않겠다고 말했다. 그러지 않아도 된다는 데도 금연을 결심하는 그의 마음이 전해져 내심 기분은 좋았다.

그 이후로 그는 담배를 피우게 될 때면 나에게 숨겼는데, 나는 그런 거짓말이 싫었다. 특히 담배를 안 피웠다고 거짓말하면서 같이 핀 상대가 여사친일 때는 더 싫었다. 담배 때문에 거짓말을 한 건지, 여사친 때문에 한 건지 모호했다. 하지만 이건 확실했다. 나는 거짓말에 초점을 맞췄고, 그는 담배와 여사친에게 초점을 두고 있었다.

어느 날 그의 여사친이 이런 말을 한 적이 있었다. “그의 여자친구는 여사친이 한 명이라도 같이 있는 걸 싫어한다더라” 여사친은 내가 있는 줄 모르고 말하다가 내가 나타나자 놀란 듯 눈을 동그랗게 떴다. 어디서부터 잘못된 걸까?

호의를 이용하는 사람은 자기 잘못을 상대에게 전과하고,
용서를 이용하는 사람은 평등한 관계를 무너뜨리려 했다.
호구는 호의와 용서를 베푸는 사람이었다.

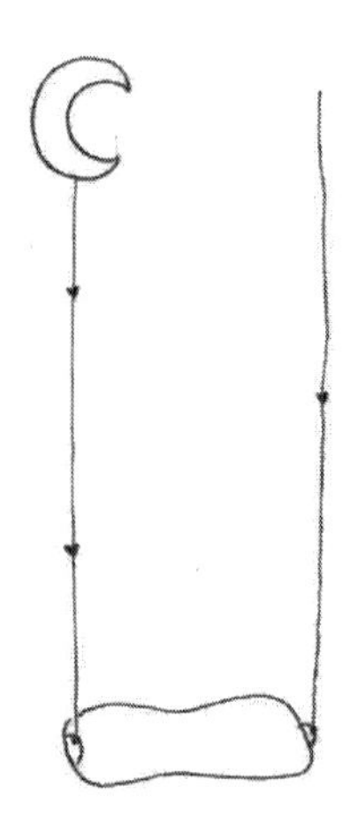

문제를 긍정적으로 해결한 사람은

같은 시련이 또 찾아와도 무섭지 않았다.

누구에게나 같은 시련이 찾아왔지만,

시련을 기회로 바꾸는 것은 자신에게 달려있었다.

이 길이 달에게 돌아가는 길이었으면

그는 나와 맞지 않는 사람이었다. 처음에는 그가 거짓말을 해도 사정이 있었을 거라고 믿음을 우선시할 때가 있었다. 그때는 반복되는 거짓말에 헤어짐을 통보할 만큼 이성적으로 판단할 수 있는 시기였다. 하지만 문제는 탄로 나는 거짓말의 횟수가 늘어날수록, 그를 못 믿게 될 때부터 시작이었다. 그의 모든 말과 행동에는 거짓말이 포함되어 있다고 생각했다. 의심이었다. 거짓말이 아닌 그의 말에도 진실을 요구했다. 집착이었다.

의심하는 내가 싫었고, 집착하는 내가 혐오스러웠다. 특히, 거짓말에 무너지는 내가 너무 한심했다. 이전의 나로 돌아가고 싶지만, 결국 제어가 어려운 상태가 되었다. 밤에만 덮쳐오던 우울감은 아침부터 밀려들어 왔고, 눈물샘은 마를 날이 없었다.

나를 다시 찾고자 예전처럼 생각하고 행동했다. 내 안에서부터 올라오는 부정적인 감정을 삼키며 외로운 밤을 보냈다. 하지만 한 번 깨진 곳은 다시 붙인다 해도 다시 금방 깨진다고 했다. 나는 속으로 참을수록 거대해지는 우울감에 견디지 못하고, 싸움거리를 만들었다.

결국 나는 되돌아갈 수 없다는 사실에 울고 또 울었다. 나는 이미 깨져버린 유리 조각이었다. 그와의 관계도 다시 이어 붙일 수 없다는 생각에 슬펐다. 더 이상 미래를 생각할 수조차 없게 만들었다.

“상대방을 위한 거짓말”

사람을 나약하게 만드는 무기로 쓰일 수 있었다.

Start

진실함은 행동이 뒤따를 때 빛을 발한다.
많은 말보다는 작은 언행일치가 사람을 이끌 수 있다는 말을 믿는다.

가시로 뒤엉켜버린 달

"싫어"는 그가 싫어하는 말이었다. 그는 내 입에서 "싫어"라는 말이 나오는 것을 싫어했다. 특히 "너 싫어"라는 말을 싫어했다. 나는 일부러 그에게 "싫어"라는 말을 했다. 특히 "너 싫어"라는 말을 자주 했다.

그는 내가 "싫어"라는 말을 할 때마다 상처받는다고 했다. 나는 그가 상처받았으면 해서 "싫어"라는 말을 자주 했다. 나는 나를 무너지게 만든 그를 탓하고 있었다. 그도 나와 같은 슬픔을 겪었으면 했기에 그가 싫어하는 말을 했다.

그는 "싫어"라는 말 대신 "미워"라는 말로 대체해 주기를 바랐다. 나는 그가 나를 미워했으면 했기에 요구를 받아주지 않았다. 나는 더 자주 "너 싫어"라는 말을 했다.

그는 나의 의심과 집착을 이해할 수 없었지만, 내 손을 놓지 못했다. 나는 그가 내 손을 놓을 수 있게 나쁜 사람이 되고자 했다. 그가 싫어하는 말을 하면 나를 떠나기 쉬울 거라고 생각했다.

상처 주고 싶어 그가 싫어하는 말을 했다.

그 말들이 나를 찌르는 칼날이 되어 돌아오는 줄도 모르고.

어린 시절에 나는 얼른 어른이 되고 싶었다.
무작정 나이 먹기만을 기다리다 보면
처음 맞이하는 일은 세상에 없을 거라고 믿었다.
어른은 상처받지 않는 사람인 줄 알았다.

4장

달을 따라 걷는 길

잘해보고자 했던 일이 뜻대로 되지 않을 땐
모든 일을 손에서 놓아버렸다.
“몇 번의 계절이 지나면 없던 일이 될 거야”
서툴렀던 시절, 다 안다고 착각했던 스무 살이었다.

거래명세표

보관일자 : 2023 - 11 - 27
취급은행 : THREE3 BANK
거래종류 : 추억 보관
계좌번호 : 19950830 - 33
남은용량 : 2,000 GB
수수료 : 0
고유번호 : 20140323015

항상 저희 은행을 이용해주셔서 감사해요.

처음은 누구나 만족스럽지 못한 결과를 받고,
뜻하지 않게 고생스러운 일도 자주 일어난다.
어려운 시기에 서 있다는 것을 인지하고 나아가다 보면
멀지 않아 정해진 운명보다 더 큰 행운을 맞이할 수 있지 않을까?
그러니 조금만 더 나를 믿어보자.

빛을 흐리는 소나기

나에게 연애는 눈물 버튼이었다. 주인공으로 기뻐해야 하는 날도, 조연이 되어 주연을 빛나게 해야 하는 날에도 눈물을 흘렸다. 눈물이 곧 나였다. 닳을 대로 닳아버린 마음이라 이제는 위로조차 약이 되지 못하고, 눈물샘을 더 자극했다. 우리가 이별을 말해야 하는 이유였다.

속상한 마음을 견뎌야 했지만, 밑바닥을 보인 나를 받아들이는 건 쉬운 일이 아니었다. 처음 보게 된 나의 밑바닥은 추하고 간사하기에 그지없었다. 어쩌다가 이렇게 된 건지 내가 저지른 모든 것은 주워 담을 수 없을 정도로 지저분했다. 그를 볼 때면 "힘들어. 나 좀 안아줘" 라는 말이 목 끝까지 차올랐다. 헤어지기 전에 한 번은 말하고 싶었는데 매번 한 글자도 떼어보지 못하고 끝이 났다. 우리에게 내일은 함께 그릴 수 없는 미래였다.

나조차 내가 잘살고 있다고 착각하고 있었을 때, 우연히 보게 된 영화를 계기로 꼭꼭 숨겨두었던 과거 속 나를 마주하게 되었다. 영화는 이제 막 졸업하고 새로운 세상을 기대하며 여행을 떠나는 한 소녀의 이야기였다. 눈물을 자극하는 전개가 아니었음에도 나는 도입부부터 눈물을 쏟아냈다. 소녀는 눈앞에 감당하기 어려운 시련으로부터 자신의 것을 지켜냈다. 도망갔던 나와 달리 다른 선택을 한 소녀를 보고, 나의 스무 살이 떠올랐다. 마음이 조금 나아지면 그때 그곳에 두고 온

스무 살을 데리러 가기로 약속했는데, 나는 아직도 그때의 상처를 마주하기가 두려웠다.

나도 소녀처럼 새로운 세상이 기대되던 시절이 있었다. 스무 살이 그랬다. 나는 언제부터 세상에 아무런 기대 없이 흐르면 흐르는 대로 살아온 걸까? 미소를 되찾은 것처럼 보였지만, 가면을 쓰고 잘 사는 척 지내고 있었다. 그때 내가 너에게 고백하지 않았더라면, 기대하던 세상을 만날 수 있었을까?

타인과 교류할 때,

인간은 마치 달과 같아서 그들은 당신에게 오직 한쪽 면만 보여준다.

-쇼펜하우어-

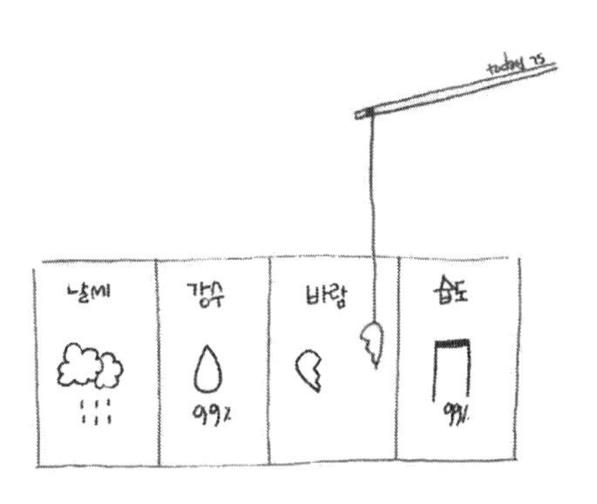
날씨
강수
99%
바람
습도
99%

사람의 어두운 면은 달과 같다.

소나기가 내리는 날에는 달빛이 흐려지고,

달이 밝지 못하니 하늘도 어두워지는 법이다.

끝이 없는 감정선 사이

그의 지인이 결혼하는데, 우리처럼 대학교 CC 커플이었다. 대학생 때 헤어졌다가 졸업 후에 재회한 커플이었다. 그는 지인에게 둘 다 직업을 가지고 안정적인 시기에 다시 만나는 것도 좋다는 조언을 받았다고 했다. 군 복무를 하고 있던 그는 편지로 나에게 자신을 기다리지 않아도 되며, 제대하고 졸업해서 서로 더 나은 사람이 되었을 때 다시 만나자고 했다. 이때 헤어질 수 있었지만, 군대에 있는 그를 혼자 둘 수 없다는 마음이 더 컸던 것 같다.

나는 답장하지 못했다. 지금 헤어지면 그를 버리는 것만 같았고, 그렇다고 그와의 미래를 생각해 본 적도 없었다. 그와 미래를 꿈꾸고 싶지 않았던 것 같다. 망가진 지금도 예전으로 돌아가지 못하고 방황하는데, 미래에는 내가 무너지지 않을 수 있을까? 그의 얼굴을 보고 옛 기억을 떠올리지 않을 수 있을까? 헤어진다면 다시 만나는 일은 없어야 했다.

사귈 때는 말도 안 되는 소리라며 지나쳤던 말이지만, 헤어지고서 가장 잊히지 않는 기억 중 하나가 되었다. 그 말이 오랫동안 내 머릿속을 맴돌았는데, 그때마다 나는 스스로에게 물었다. "너는 지금 잘 살고 있니?" 직장을 다니고, 의심과 집착에서 벗어나 새로운 사랑을 하고 있고, 나에게 관심을 줄 수 있을 만큼 여유도 생겼다. 하지만 이번에도 답은 하지 못했다. 나는 아직도 나의 모습이 마음에 들지 않았다.

그때 그 말을 지키려고 하는 연락인지, 잔감정으로 하는 연락인지 모르겠지만, 나는 이별 후 찾아온 그의 연락에 답장하지 못했다. 나는 아직 내가 마음에 들지 않았기에 소식을 전해주고 싶지 않았다. 나는 나를 사랑하지 못해서, 아직도 나에게만 엄격한 잣대를 들이밀며 부족한 사람이라 치부하고 있었다. 나는 아직도 과거의 상처가 낫지 않았다.

금방 사라질 행복이라 마냥 기쁘지 않았다.

행복 뒤엔 늘 불행이 따라왔기에

갑작스럽게 찾아온 행복에 불안해했다.

소소한 행복도 온전히 느끼지 못하는 사람이었다.

10년 후 어떤 모습일지 모르겠지만, 지금의 나보다는 행복하길.

원하는 꿈을 이뤘길.

영혼의 단짝을 만났길.

조금은 남에게 베풀 수 있는 사람이 됐길.

열정을 안고 살아가고 있길.

나를 사랑하고 아껴줄 수 있길.

-한때 같은 길을 걸었던 친구가 써준 생일편지에서.

달이 차오르던 계단

그는 우리가 싸운 다음 날이면 늘 우리 집을 찾아왔다. 내가 살던 집은 3층 주택이었는데, 2층에서 3층으로 올라오는 계단에서 내 방 창문을 올려다볼 수 있었고, 나도 창문을 통해 계단을 내려다볼 수 있었다. 이번에 저지른 실수는 절대 용서해 주지 않겠다고 다짐했는데, 그의 얼굴을 보니 미움으로 가득 찼던 마음이 또 풀려버렸다.

그의 품에 안겨 울고 있으면, 미웠던 마음이 나도 모르는 사이에 사라지고 있었다. 그에게 내가 울었던 이유를 정확히 말하고 싶었는데, 화해를 한 마당에 안 좋은 얘기를 들추는 것 같아 그러지 않았다. 그래서 똑같은 이유로 싸울 때면 그때 그러지 못한 것을 늘 후회하곤 했다.

잦은 싸움으로 그가 집을 찾아오는 횟수가 늘어나면서 그것도 하나의 추억이 되었다. 집을 가는 계단을 오를 때마다 그곳에서 기다리던 그의 모습이 떠올랐다. 그는 미안한 얼굴을 하며 쭈뼛쭈뼛 서있었다. 그가 오지 않을 걸 알면서도 창문 앞에서 그를 기다린 적도 있었다. 헤어진 이후에도 마찬가지였다. 언제나 집을 가는 길이면 계단에서 그가 기다리고 있을 것만 같았다. 그래서 늘 집으로 향하는 길이면 긴장하며 걸었던 것 같다. 그럴 일 없다는 걸 알면서도.

헤어진 지 얼마나 되었을까. 그는 자신이 바랬던 대로 살고 있을까. 나는 겨우 빠져나오나 했는데, 그가 만들어 놓은 덫에서 아직도 헤매고 있었다. 그와 함께할 땐 변해버린 내 모습을 감당하기 어렵고, 또 다시 그의 마음에 상처를 줄까 무서웠다. 언젠가 이곳도 내 기억 속에서 영영 잊히는 날이 오겠지.

너도 아닌 나도 아닌 파도가 채웠다.

다른 사람의 의견에 휩쓸리기 쉬웠고,

안 좋은 쪽으로 마음이 동요되는 것이 일상이었다.

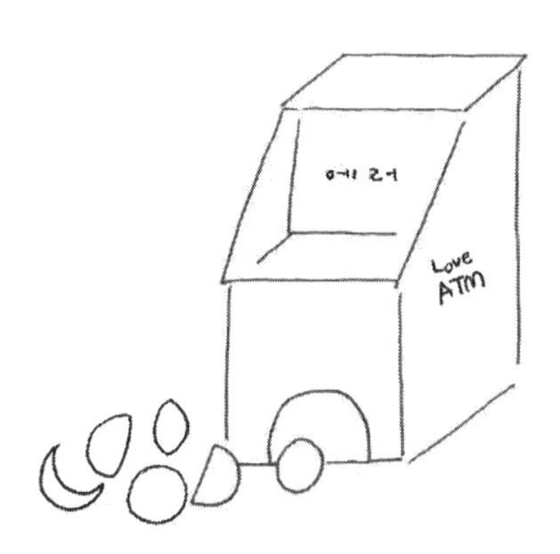
에러
Love
ATM

고민을 해결하면 신기하게도
그 고민이 필요했던 이유를 알 수 있었다.
나를 찾아오는 시련에는 이유가 있었고,
답은 항상 나에게 있었다.

아침을 맞이할 준비

나는 마음이 적적할 때면 하늘을 올려다보았다. 사람들에게 나의 아픔을 나누어 주고 싶지 않아서, 내가 진정으로 보여줄 수 있는 사람은 달뿐이었다. 달에게는 내가 무슨 일이 있었는지, 어떤 마음이었는지 구구절절 설명하지 않아도 됐다. 그저 마음이 가라앉을 때면 하늘을 보았고, 그때마다 달은 다 알고 있다는 듯이 위로해 주었다. 달은 늘 예쁘게 피어 있었다.

달을 바라보고 있으면 떠오르는 한 사람이 있었다. 맨 처음 달을 보며 위로를 받았을 때가 스무 살이었다. 하늘에 핀 달을 보면서 힘듦을 참아냈더니 달을 볼 때마다 그가 떠올랐다. 달과 겹쳐 보이는 그를 느끼며, 아직 사랑하는 마음이 남았다고 생각했다. 괜히 몇 없는 행복한 하루를 망치고 싶지 않아, 나는 정말 위로를 받아야 할 때만 하늘을 올려다보았다.

나에게 가장 오래된 착각은 달을 그라고 생각한 것이다. 내가 줄곧 본 것은 바로 나였는데 말이다. 그와 함께한 추억이 아니라 상처받은 스무 살의 나를 그리고 있었다. 나는 그 시절을 마주하는 것을 힘들어했다. 기억에 내가 함께하고 있으니, 그와의 과거가 미화되는 줄도 모르고 잘못을 만들어 자책하기도 했다. 자꾸만 흐르는 눈물을 닦아내면서도 자신이 왜 우는지 몰랐다. 이유를 알았더라면 더 일찍 벗어났

을까? 나는 늘 나를 지나쳐만 갔다. 내 안에서 올라오는 부정적인 감정이 무서워 도망치기에 바빴던 것 같다.

스무 살을 아프게 한 사람은 다름 아닌 나였다. 상처를 준 것도 모자라 또 받을 상처가 무서워 혼자서만 도망쳤다. 나는 늘 미안한 마음이라 혼자서 지금의 행복을 만끽할 수 없었다. 어쩌면 무작정 사람이 좋았던 스무 살을 그리워하고 있었던 걸지도 모른다. 스무 살이 눈물나게 보고 싶지만, 나에게 다신 돌아오지 않을 날들. 지금 나는 아프지 않은 게 어색한 나이가 되었다.

“고마워. 마침내 나를 포기해 줘서”

마음을 가라앉히던 우울이 날개를 피며 말했다.

우울을 스스로 움켜쥐고 있었다는 사실을
알아차리는 순간 모든 것이 변해갔다.
이제 앞으로 어떻게 해야 하는지 알았으니
남은 것은 그곳으로 뚜벅뚜벅 걸어가는 일이었다.
상황이 변해서 예전으로 돌아갈 수 없을 것만 같았는데,
생각한 것에 주저하지 않고 걷다 보니
목적지에 답안지가 기다리고 있었다.
행운에게 가는 길은 스스로 찾아 나서면 어려울 일이 없었다.

선명해지는 달빛

스무 살이었다. 잘해보고자 했던 일이 막히면 해결하지 않은 채 숨어버리는 게 버릇이었다. 깊은 우울에서 빠져나오지 못한 채 헤맬 때는 몸이 아팠고, 마음에는 병이 찾아왔다. 바보 같은 내 모습을 마주하기란 쉽지 않았다. 그저 아픔에 익숙해지도록 흐르는 시간에 의지했다.

시간이 해결해 줄 수 있는 것에도 한계는 있었다. 아쉬웠던 관계, 억울했던 일, 스스로 돌보지 못한 과거는 모두 내가 놓지 못한 일이었다. 마침표를 찍어야 벗어날 수 있다는 것을 알게 되고는 여러 번의 시행착오 끝에 해결점을 찾을 수 있었다.

가장 먼저 해야 하는 일은 내게 닥친 시련을 마주하는 일이었다. 어디서부터 기인한 건지, 내가 이것을 왜 시련이라고 부르고 있는지 파

악해야 했다. 그리고 이 시련이 나에게 왜 필요한지, 어떤 것을 주기 위한 것인지 의미를 부여했다. 마지막으로 어떻게 하면 잘 해결할 수 있는지 고민했던 것 같다.

이제는 찾아오는 시련이 예전만큼 무섭지 않다. 그저 이 시련을 어떻게 기회로 만들 수 있을지 고민하며 즐기게 된 것 같다. 예전에는 불안에 떨었던 시간이 하루의 반이었다면, 지금은 불안한 마음이 비집고 들어올 틈이 없다는 것이다. 불안한 시간이 줄어든 만큼 평온함이 차오르면서 삶의 질도 올라갔다. 무슨 일이든 좋고 나쁨을 결정하는 건 내 몫이었다.

그렇다고 모든 시련에 무작정 덤비지는 못한다. 내가 감당하지 못할 것 같은 시련은 옆에 잠시 접어 두었다. 정해진 답은 없는 것 같고, 사람마다 자신에게 맞는 방법이 따로 있는 것 같다. 나의 방법도 나를 너무 잘 아는 맞춤 특별 레시피일 뿐이다.

그동안 나는 꾸며진 모습으로 살아가고 있었다. 타인의 삶에 나를 끼워 맞추는 시간은 사탕을 입안에 가득 물고 있던 시간이었다. 단 것을 물고 있어 다른 사람의 부러움을 샀지만, 실상은 입에 사탕을 물고 있어 말하고 싶어도 말하지 못하는 상태였다. 사탕을 준 사람이 무안할까 싶어 사탕이 녹을 때까지 빼지 않았다. 이제는 타인의 기대에 나를 너무 끼워 맞추지 않고 싶다.

예쁘기만 해도 아쉬울 나이에 아프게 해서 미안해.

내일의 여정에 너를 두고 도망치는 일은 없을 거야.

앞으로도 예쁘게 필 달을 보며

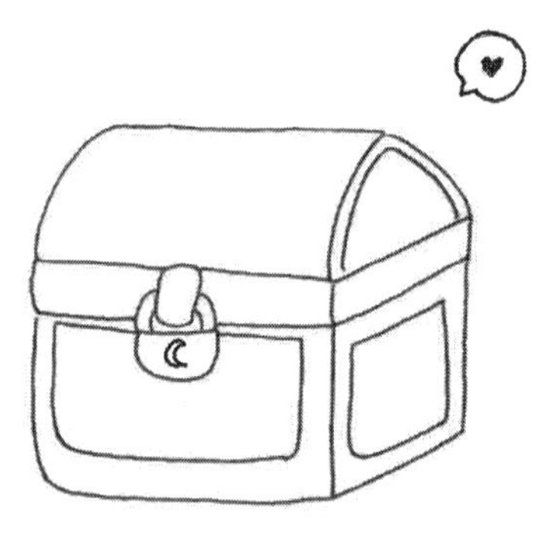

달을 바라보며 너를 그린다

발행 2024년 05월 05일
지은이 three3
디자인 조미진
펴낸이 정원우
펴낸곳 글ego
출판등록 2019.06.21 (제2019-000227호)
주소 서울시 강남구 강남대로 118길 24 3층
이메일 writing4ego@gmail.com
홈페이지 http://egowriting.com
인스타그램 @egowriting

ISBN 979-11-6666-489-2